An chéad bhéirín.

An dara béirín.

Agus an tríú béirín.

Nuair a chuaigh siad a chodladh

istoíche dúradh leo:

"Is sibhse na béiríní is breátha

ar domhan!"

Oíche amháin, tar éis dá Mamaí

"Is sibhse na béiríní is breátha

ar domhan," a rá leo,

thosaigh na béiríní ag smaoineamh.

“Cá bhfios duit, a Mhamaí?
Cá bhfios duit gur sinne na
béiríní is breátha ar domhan?”

“Mar go ndúirt bhur ndaidí liom é,”
arsa Mamaí Béar.
“Nuair a leag bhur ndaidí súil oraibh
an oíche a rugadh sibh, ar seisean –
is cuimhin liom go maith é – ar seisean,
‘Is iad na báibíní is breátha
dá bhfaca mé riamh iad.
Go deimhin, is iad na báibíní is breátha
dá bhfaca aon bhéar riamh iad!’”

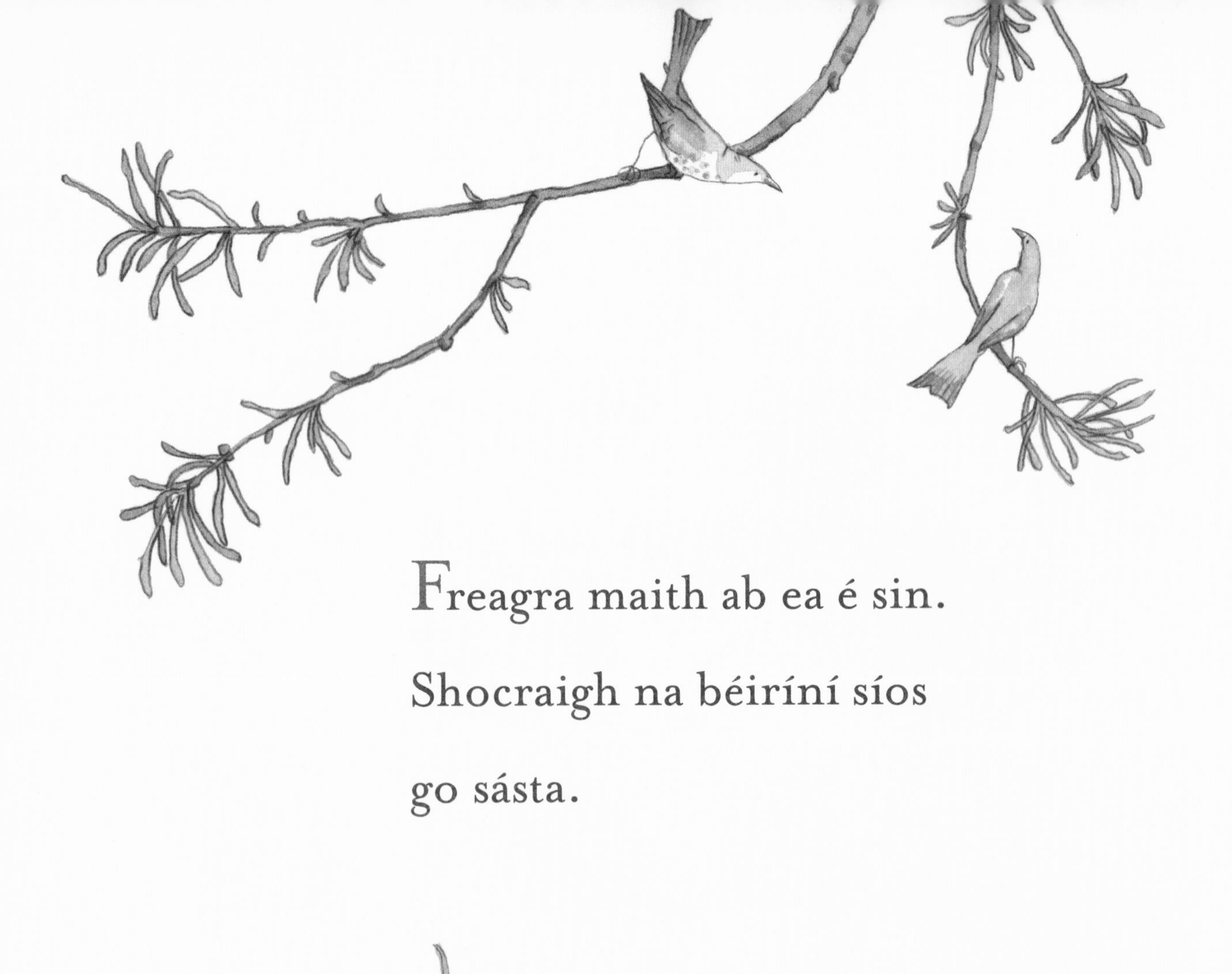

Freagra maith ab ea é sin.
Shocraigh na béiríní síos
go sásta.

Lá amháin, thosaigh an chéad bhéirín
ag smaoineamh. An bhfuil na béiríní eile
níos fearr ná mé, ar seisean leis féin.
Bhí sceada ar an mbeirt eile tar éis an
tsaoil agus gan scead ar bith air féin.
B'fhéidir gur thaitin sceada lena mháthair.

Thosaigh an dara béirín ag smaoineamh.

B'fhéidir gur fearr le daidí an bheirt eile.

Is buachaillí iad tar éis an tsaoil,

agus ní buachaill mise.

Bhí an tríú béirín

ag éirí buartha.

Mise an béirín is lú, ar seisean.

Tá an bheirt eile níos mó ná mé!

An oíche sin, chuir na béiríní ceist ar Dhaidí:

"Cén béirín againn is deise leat?

Inis an fhírinne anois!

Ná habair nach bhfuil peata agat!"

"Ach is peataí sibh go léir," arsa Daidí Béar. "Is cuimhin liom go maith nuair a leag do mháthair súil ort…" agus thóg Daidí Béar an chéad bhéirín agus thug barróg dó. "Ar sise,

'An chéad bhéirín is gleoite
dá bhfaca aon bhéar riamh.'"

"Fiú is gan scead ar bith orm?"

"Fut fat! Níl aon bhaint ag sceada leis an scéal," arsa a dhaidí, agus shoiprigh sé an chéad bhéirín sa leaba.

"Agus nuair a leag do mhamaí súil ortsa" – thóg Daidí Béar
an dara béirín – "ar sise,
'Is í seo an dara béirín is gleoite
dá bhfaca aon bhéar riamh.'"

"Cé nach buachaill mé?"

"Fut fat! Buachaill? Cailín?
Is é an dá mhar a chéile é,"
arsa a daidí agus d'fháisc
sé chuige go teann í.

"Agus nuair a leag do mhamaí súil ortsa"
– thóg Daidí Béar an tríú béirín – "Ar sise,
'Is é seo an tríú béirín is gleoite
dá bhfaca aon bhéar riamh.'"
"Cé gur mise is lú?"
"Fut fat! Beag nó mór,
táimid an-mhór leat!
Sin sin mar sin.
Is geal liom sibh go léir!"

Agus na béiríní beaga is fearr ar domhan,

bhí siad an-sásta leis an bhfreagra sin

agus chuaigh siad a chodladh go sámh.

Dóibh siúd is gile *liomsa*:
Sam agus Daniel agus Jack
agus Adam agus Ella ~ *S. McB.*

Do Joe, Danny agus Kitty ~ *A. J.*

Walker Books a chéadfhoilsigh faoin teideal *You're All My Favourites*

Eagrán Béarla

Leagan Gaeilge

Clóchurtha in Mrs Eaves ag WorldAccent

Sa tSín a clóbhuaileadh

ISBN 978-1-4063-4816-3

Walker Éireann, Walker Books Ltd, 87 Vauxhall Walk, London SE11 5HJ

www.walker.co.uk